Letture Graduate

CW00411093

La collana Letture Gradua
proposta completa di libri per lettori
di diverse età e comprende accattivanti
storie contemporanee accanto
a classici senza tempo. La collana
è divisa in: **Letture Graduate ELI
Bambini, Letture Graduate ELI
Giovani, Letture Graduate ELI
Giovani Adulti.** I libri sono ricchi
di attività, sono attentamente editati
e illustrati in modo da aiutare
a cogliere l'essenza dei personaggi
e delle storie. I libri hanno una sezione
finale di approfondimenti sul periodo
storico e sulla civiltà, oltre
a informazioni sull'autore.

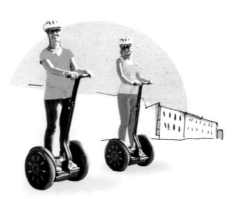

FSC
www.fsc.org
MISTO
Da fonti gestite in
maniera responsabile
FSC® C019318

La certificazione FSC garantisce
che la carta usata per questo
libro proviene da foreste
certificate, per promuovere
l'uso responsabile delle
foreste a livello mondiale.

ECO-LIBRIS
www.ecolibris.net

Per questa collana
sono stati piantati
5000 alberi

Giorgio Massei - Antonio Gentilucci

Evviva Roma!

Illustrazioni di
Francesca Capellini

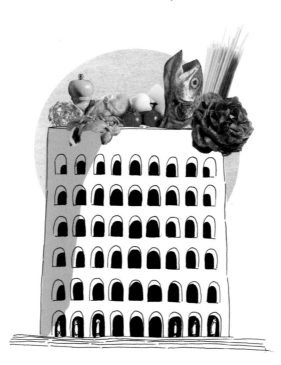

Letture Graduate ELI Giovani

EDULÍNGUA
Laboratorio di lingua e cultura italiana

Giorgio Massei - Antonio Gentilucci
Evviva Roma!
Illustrazioni di Francesca Capellini

Letture Graduate ELI
Curatori della collana
Paola Accattoli, Grazia Ancillani, Daniele Garbuglia (Art Director)

Progetto grafico
Sergio Elisei

Impaginazione
Airone Comunicazione - Enea Ciccarelli

Direttore di produzione
Francesco Capitano

Foto
Shutterstock, Marka, Archivio ELI

© 2016 s.r.l.
P.O. Box 6
62019 Recanati MC - Italy
T +39 071750701
F +39 071977851
info@elionline.com
www.elionline.com

Il testo è composto in Monotype Dante 13 / 18

Stampato in Italia presso Tecnostampa – Pigini Group
Printing Division Loreto – Trevi – ERT 251.01

ISBN 978-88-536-2106-1

Prima edizione: febbraio 2016

www.gradedelireaders.com

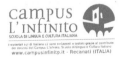

campus
L'infinito
SCUOLA DI LINGUA E CULTURA ITALIANA

I materiali per di italiano L2 sono sviluppati e testati grazie al contributo
dei docenti del Campus L'Infinito, Scuola di Lingua e Cultura Italiana
www.campusinfinito.it - Recanati (ITALIA)

Indice

10 Artisti

12 Bici

14 Cibo

16 Din Don Dan!

18 Eventi

20 Fontane

22 Grande Cinema

24 Habemus papam

26 Itinerari nelle Ville

28 Leggende e misteri

30 Musica

32 Notte dei musei

34 Oggetti e Occasioni

36 Piazze

38 Quirinale e politica

40 Resti e rovine

42 Sport

44 Trastevere

46 Usi e costumi

48 Vie e Vicoli

50 Zodiaco

52 Attività

Le icone indicano le parti registrate. **Inizio** 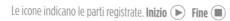 **Fine**

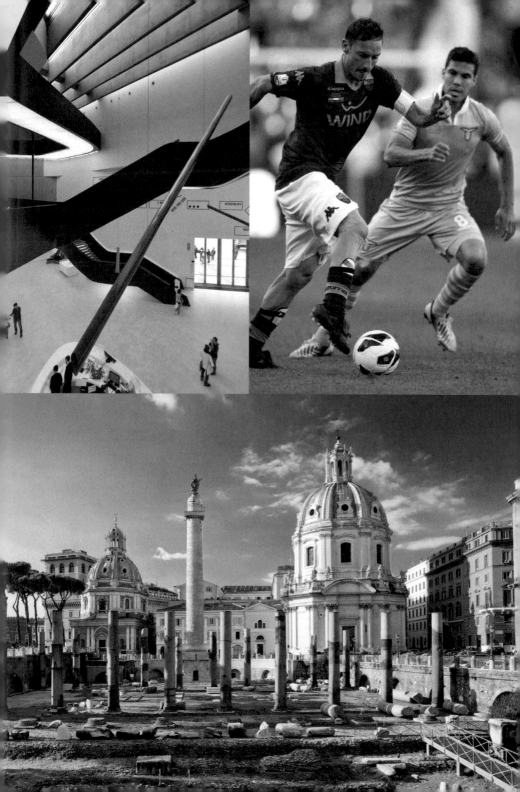

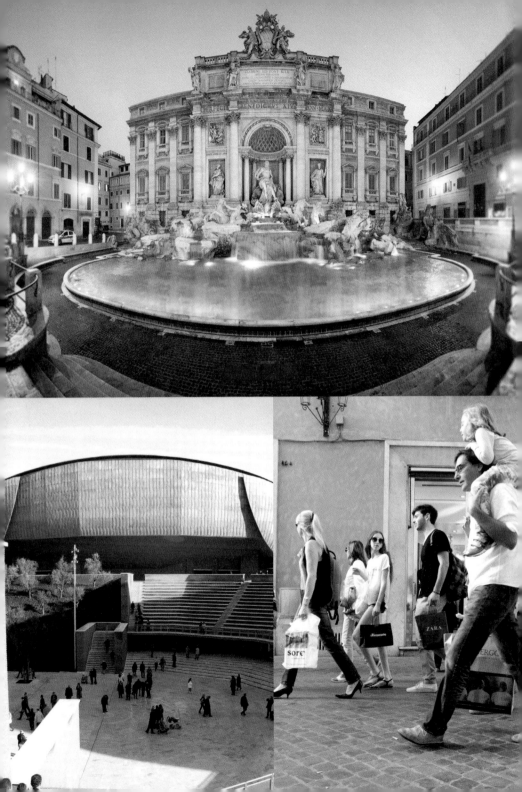

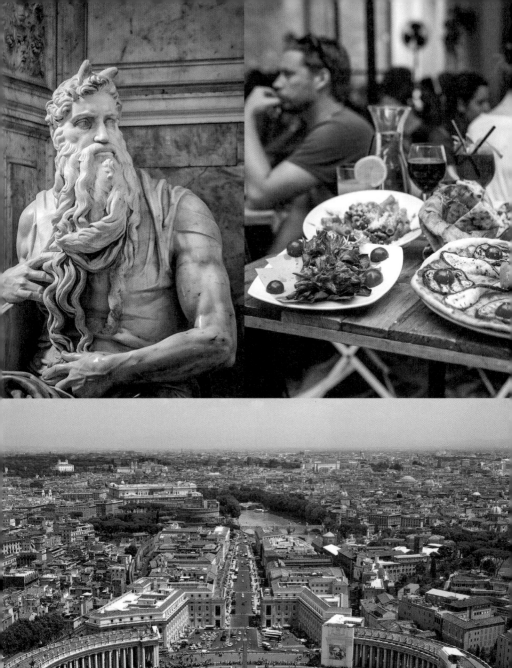
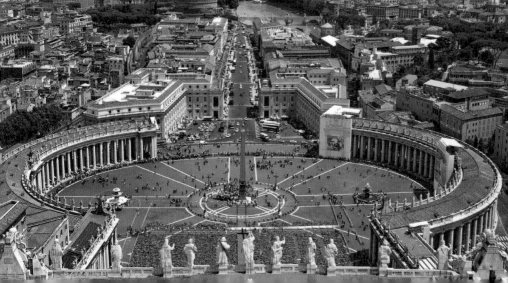

Artisti

▶ 2 Dici "Roma" e dici... "arte"! La città ha sempre ospitato molti artisti famosissimi. In ogni luogo e in ogni via, ci sono splendidi palazzi, fontane, chiese e monumenti di artisti geniali come Michelangelo, Caravaggio, Raffaello e tanti altri, fino ad oggi.

Michelangelo (1475-1564)

Quanti sono i suoi capolavori? È impossibile rispondere. Un artista grandissimo, ma anche con un carattere molto difficile! Finisce gli affreschi del *Giudizio universale* per la celebre Cappella Sistina, in Vaticano, e inizia a scolpire la statua di Mosè, nella chiesa di San Pietro in Vincoli. Conoscete la storia? Michelangelo la finisce, la guarda e la vede perfetta: Mosè è quasi vivo! Allora Michelangelo si arrabbia, lo colpisce con un martello* sul ginocchio e urla: "Perché non parli?!".

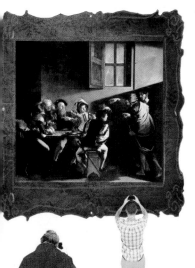

Caravaggio (1571-1610)

I dipinti di Michelangelo Merisi (vero nome di Caravaggio) sono incontri meravigliosi di ombra e luce e mostrano persone semplici, del popolo, con emozioni vere. Nella *Vocazione di Matteo* della bella chiesa di San Luigi dei Francesi, Gesù e Matteo sono in una taverna*, luogo molto amato da Caravaggio. Quando non dipinge, Caravaggio vive infatti tra scandali, violenza e gioco: nel 1606, dopo un duro litigio*, uccide un uomo e deve scappare da Roma! Ma restano in città le sue incredibili opere.

martello

taverna il bar di quell'epoca
litigio forte discussione

 10

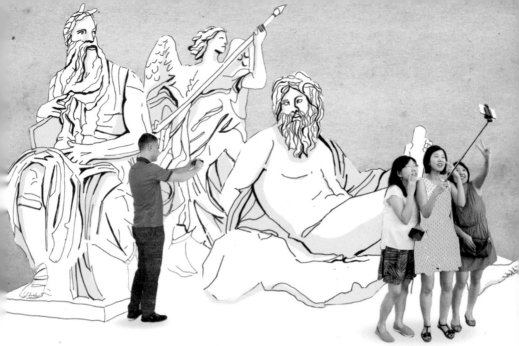

Bernini e Borromini

Due geniali artisti, considerati i padri del Barocco* romano, ma anche due rivali, non certo amici! Sono Gian Lorenzo Bernini (1598 –1680), scultore e architetto, famoso per lo spettacolare Colonnato di San Pietro, e Francesco Borromini (1599 - 1667), l'architetto di Sant'Agnese a Piazza Navona. Quando Bernini ha problemi per costruire i campanili di Piazza San Pietro, Borromini li realizza perfetti e molto simili a Sant'Agnese! Così tutti possono capire che lui è più bravo!

Schifano e l'arte contemporanea

Rinascimento, Barocco, ma non solo. Negli anni '70 un famoso artista romano contemporaneo è Mario Schifano. Grande pittore, intellettuale e viaggiatore, ha lavorato anche per cinema e TV. È stato sicuramente uno dei più importanti artisti europei, in particolare per la sua interpretazione originale della pop art italiana.

Barocco lo stile artistico del 1600

Bici

▶ 3 Che bello girare per Roma in bicicletta! È un modo ideale per visitarla, anche se la città è sopra sette colline ed è necessario fare qualche dura salita*. Ci sono tante piste ciclabili* e percorsi lungo il fiume Tevere o nel cuore della città. Oppure è bello uscire dal centro e seguire le vie degli antichi romani.

In bici sul Lungotevere

Il Tevere è il grande fiume di Roma, passa tra bellissimi palazzi barocchi e ponti meravigliosi, come Ponte Sant'Angelo. Per gli innamorati, un luogo molto romantico è Ponte Milvio: le giovani coppie mettono un lucchetto* sul ponte, come simbolo del loro amore. Romantico, ma un problema per il ponte… In mezzo al fiume puoi vedere una grande "nave": è l'isola Tiberina. Secondo la leggenda, l'isola ha questa forma perché è nata sopra una barca sommersa*.

Il parco della Via Appia

"Tutte le strade portano a Roma": gli antichi romani hanno costruito tante vie per unire la capitale alle parti più lontane del grande impero. Oggi con la metropolitana o con i bus è possibile raggiungere il Parco della via Appia Antica e poi andare in bici (o passeggiare) sulle strade di pietra dell'antica Roma. Se ti piace la musica classica, puoi ascoltare la sinfonia *I Pini di Roma*, di Ottorino Respighi e immaginare con lui il ritorno a casa degli antichi soldati romani.

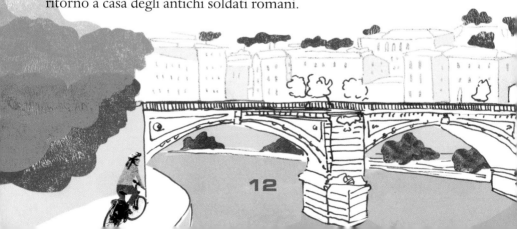

12

I vetturini

Se non ti piace la bici, o sei stanco, c'è una persona che ti può aiutare in modo originale. *Il vetturino* è un personaggio tradizionale, tipico di Roma, pronto ad accompagnarti con la carrozza* a cavallo per le vie più belle di Roma. Attenzione: i vetturini parlano di solito in *romanesco*, il dialetto della capitale. Un po' difficile da capire, ma molto divertente!

I gatti, compagni di viaggio!

I gatti a Roma sono molto importanti! Sono nel Colosseo, nei Fori, per le strade… i romani hanno sempre amato i gatti. Puoi vedere immagini di gatti anche sulle armi degli antichi soldati. In via della Gatta, a Palazzo Grazioli, c'è una statua antica che "guarda" la gente per strada. Il gruppo di gatti più numeroso è nell'area archeologica di Largo di Torre Argentina, dove Bruto e Cassio hanno ucciso Giulio Cesare, nel 44 a.C. I romani chiamano *gattari* le persone che aiutano questi gatti di strada. Una famosissima gattara è stata la grande attrice Anna Magnani, protagonista del film *Roma Città Aperta*.

salita strada che va in alto
pista ciclabile parte di strada solo per le biciclette

lucchetto

sommersa completamente sotto l'acqua
carrozza vedi disegno in alto a destra

13

Cibo

▶ 4 Dopo tante passeggiate, arriva finalmente il momento di una pausa: è ora di mangiare! La cucina romana è ricca di sapori e semplice nelle ricette. Ci sono ristoranti e trattorie per tutti i gusti!

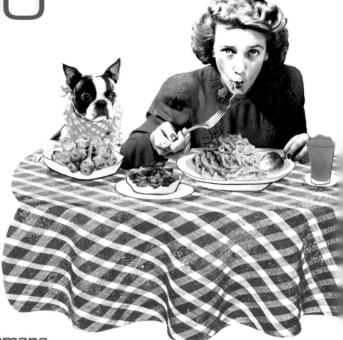

La trattoria romana

Chi va a Roma deve mangiare in una *trattoria*, un tipo di ristorante tradizionale e semplice.
Le più famose (ma anche le più turistiche) sono nel quartiere di Trastevere. In una vera trattoria c'è sempre un ambiente semplice e familiare, le porzioni* di cibo sono grandi e il conto economico!

Il "quinto quarto" e le ricette tipiche

I romani chiamano "quinto quarto" le parti degli animali (mucca, pecora, agnello, maiale) meno pregiate*, come gli organi interni. Meno pregiate, ma ricche di sapore! Questi tipi di carne sono ingredienti importanti nelle ricette romane più tipiche: ad esempio nella "trippa al sugo" o nella "coda alla vaccinara".

porzioni quantità di cibo per una persona
pregiate di qualità

La pinsa romana, i carciofi e... la grattachecca!

È simile a una normale pizza, ma la *pinsa* romana non è rotonda ed è croccante* fuori e morbida dentro: perfetta con i tradizionali *carciofi alla romana*! È nata nell'antica Roma e il suo nome viene dal verbo latino *pinsere*, cioè "stendere". In estate, quando fa molto caldo, devi gustare una *grattachecca*: è ghiaccio grattato* da un grande blocco con succo di amarena, o menta, o cocco... una "fredda" emozione!

Le caldarroste

Il centro di Roma, da ottobre a marzo, profuma di caldarroste.
La *caldarrosta* è la castagna cotta sul fuoco, lungo le strade della città.
Quando trovate un caldarrostaio (il tipico venditore), dovete chiedere un classico *cartoccio**!

Carbonara o Cacio e pepe?

Sei in una trattoria e vuoi un piatto di pasta: la scelta può essere molto difficile! La carbonara è uno dei piatti più famosi nel mondo e a Roma c'è la ricetta originale: uova, pecorino, pepe e guanciale*. Gli spaghetti *cacio e pepe* sono forse ancora più... romani! Gli ingredienti sono pochi: solo formaggio pecorino e pepe! Questo piatto è una vera sorpresa!

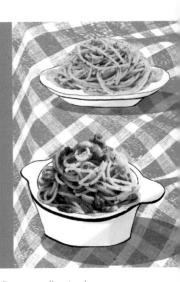

croccante dura, non morbida
grattare (qui) portare il ghiaccio da solido in polvere

cartoccio (qui) un cono di carta pieno di caldarroste
guanciale una parte grassa del maiale

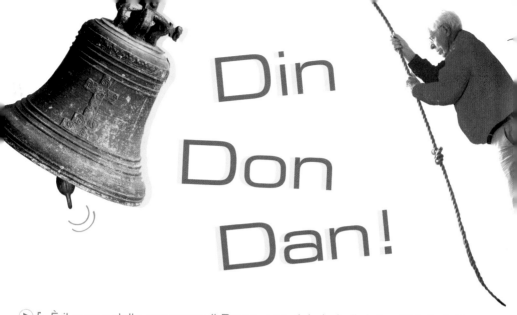

Din Don Dan!

▶ 5 È il suono delle campane di Roma, uno dei simboli della città. In tutto ci sono più di 1500 campane, per circa 900 chiese. A Roma le campane… "parlano"! Secondo la tradizione, il suono della campana di Santa Maria Maggiore dice "Abbiamo fatto i fagioli!", quella di San Giovanni chiede "Con che? Con che?" e quella di Santa Croce in Gerusalemme risponde "Con le cotichelle*! Con le cotichelle!". Ogni chiesa, anche quella meno famosa, ha una storia meravigliosa da raccontare…

Santa Maria sopra Minerva

Vicino al Pantheon, in una piccola piazza, ecco la bellissima Santa Maria sopra Minerva, in stile neogotico (strano per Roma) con uno splendido soffitto blu come il cielo! Qui trovi le tombe di due grandi personaggi del Medio Evo, Santa Caterina e il pittore Beato Angelico. Davanti alla chiesa c'è un obelisco egiziano con un elefante: la chiesa è costruita su tre antichi templi dedicati a Minerva e agli dei egizi Iside e Serapide.

cotichelle pezzi di pelle del maiale

Santa Maria in Ara Coeli

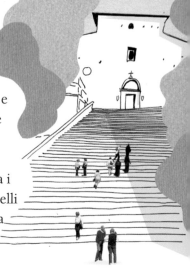

È la chiesa più amata per i matrimoni a Roma: sta in alto ed è vicina al Vittoriano e al Campidoglio. Fuori la chiesa è semplice (è stata quasi distrutta per fare spazio al Vittoriano) ma dentro è in ricco stile barocco. In questo luogo nell'antica Roma i sacerdoti hanno guardato il volo degli uccelli per conoscere il futuro. Davanti alla chiesa c'è una lunga scala: se vuoi ricevere un miracolo, devi salirla in ginocchio!

Sant'Ignazio di Loyola in Campo Marzio

In questa chiesa ci sono… molte magie e illusioni! Il pittore Andrea Pozzo, nel 1600, ha dipinto sul soffitto due affreschi "speciali": con il primo le persone vedono il soffitto più alto del normale e quindi la chiesa sembra più grande; con il secondo puoi vedere l'interno di una cupola… che non c'è!

Santa Prassede

Sembra una chiesa piccola e poco importante, ma dentro ci sono tesori meravigliosi. Per esempio, c'è uno dei mosaici medievali più belli d'Italia. La cappella di San Zenone, con un mosaico tutto d'oro, si chiama infatti "Il Giardino del Paradiso". Il momento perfetto per visitare la chiesa è al tramonto, quando c'è poca luce: in quel momento il mosaico ha colori unici ed emozionanti.

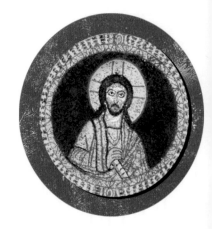

Eventi ★★★★★★★★★

▶ 6 Mostre, concerti, festival e sport: nella Capitale gli eventi sono numerosi ogni giorno e le possibilità sono davvero tantissime! Vuoi qualche idea? Ecco qua…

Compleanno di Roma il 21 aprile

Conosci la leggenda dei due fratelli Romolo e Remo e l'origine di Roma? Secondo la leggenda (raccontata da Varrone), Roma nasce ufficialmente il 21 aprile 753 a.C., così i romani hanno sempre festeggiato questa data. In quel giorno puoi vedere soldati, sacerdoti, gladiatori e tanti altri personaggi dell'antica Roma… a passeggio per la città.

Festival del cinema

Nato nel 2006, è un importante Festival internazionale del cinema, organizzato ogni anno nello splendido Auditorium Parco della Musica. In questa occasione puoi vedere le grandi stelle del cinema mondiale, ma è soprattutto un'occasione per celebrare il cinema italiano di ieri e di oggi.

ippodromo dove ci sono le corse dei cavalli

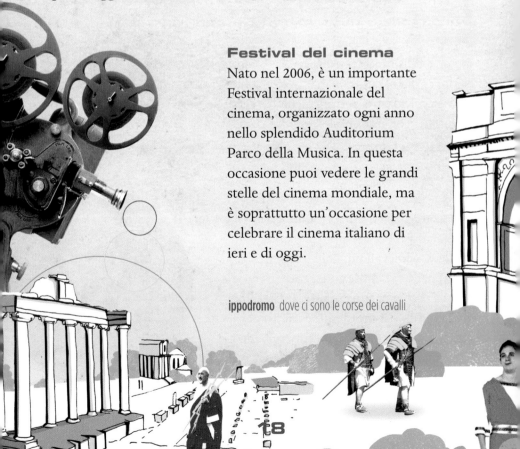

18

Concerto del Primo maggio

Ogni anno le più importanti organizzazioni dei lavoratori italiani organizzano, in Piazza San Giovanni, uno dei più importanti eventi della musica leggera e rock italiana, il "Concertone" del Primo Maggio. Partecipano cantanti e artisti italiani, più o meno famosi, e da ogni parte d'Italia partono sempre dei pullman di ragazzi per vedere questo grande spettacolo.

Il Festival delle Capannelle "Rock in Roma"

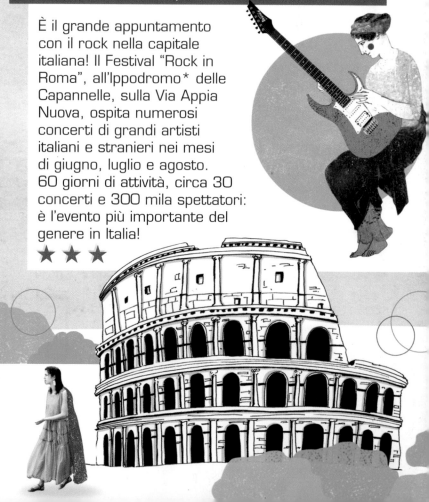

È il grande appuntamento con il rock nella capitale italiana! Il Festival "Rock in Roma", all'Ippodromo* delle Capannelle, sulla Via Appia Nuova, ospita numerosi concerti di grandi artisti italiani e stranieri nei mesi di giugno, luglio e agosto. 60 giorni di attività, circa 30 concerti e 300 mila spettatori: è l'evento più importante del genere in Italia!

★ ★ ★

Fontane

▶ 7 Roma è famosa per le sue fontane! Non solo le fontane sono spesso monumenti bellissimi: la loro acqua è anche molto buona!

Fontana di Trevi (1762)

Tutti i turisti conoscono il rito: devi lanciare una moneta nella fontana per tornare a Roma, due per una nuova storia d'amore e tre per il matrimonio. Ma… è solo una tradizione. Nel 1960 Federico Fellini usa la fontana per una delle scene più famose della storia del cinema: da quel momento la Fontana di Trevi è sinonimo di "Dolce vita". L'acqua della fontana viene da uno dei più antichi acquedotti* di Roma, "l'Acqua vergine", il solo – tra quelli antichi – che oggi è ancora attivo. Una curiosità: la finestra in alto a destra è solo dipinta.

La Barcaccia (1629)

Secondo la leggenda una notte, durante una piena del Tevere, l'acqua copre tutta la città e una barca si ferma miracolosamente sotto la celebre scala di Piazza di Spagna. Papa Urbano VIII la vede e chiama subito il papà di Bernini (anche lui scultore) e chiede di fare in quel luogo una fontana a forma di barca, per ricordare l'incredibile evento!

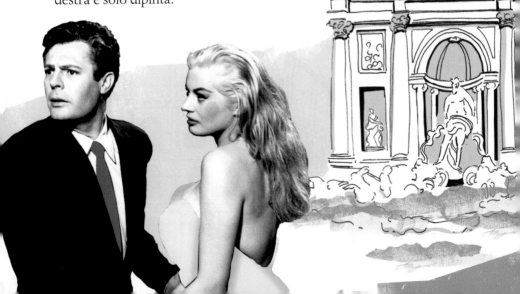

La Fontana dei Fiumi (1651)

È in piazza Navona e si chiama così perché Bernini rappresenta con le quattro sculture, quattro fiumi diversi: il Danubio per l'Europa, il Nilo per l'Africa, il Rio della Plata per l'America e il Gange per l'Asia. La fontana è davanti alla chiesa di Sant'Agnese, costruita dal "nemico" e rivale del Bernini, il famoso Borromini. Così che cosa fa la statua del Rio della Plata? Si copre gli occhi con le mani, per non vedere la "terribile" chiesa! Questa però è solo una leggenda romana: nel 1651 la chiesa ancora non c'è, è costruita dopo la fontana!

I "nasoni"

I romani chiamano "nasoni" le piccole fontane che offrono acqua potabile*, di solito anche molto fresca! Si chiamano così perché l'acqua esce da un tubo* che sembra un grosso naso. Ci sono circa 2.500 nasoni a Roma. Hai sete e vuoi trovare un nasone? Oggi c'è anche un'app per il telefonino che ti aiuta.

acquedotti strutture per portare acqua in una città
potabile che si può bere
tubo

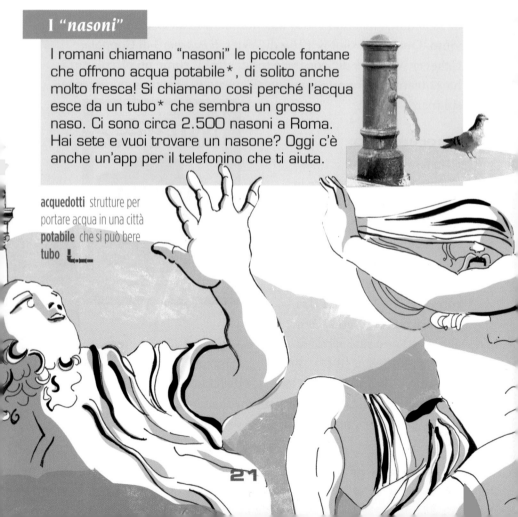

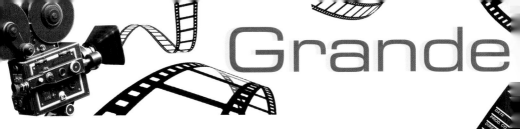

8 Tra Roma e il cinema esiste una vera storia d'amore. Quanti capolavori sono ambientati nella città eterna! *Ladri di Biciclette, La dolce vita, Vacanze romane*, ma anche tanti film moderni e colossal internazionali.

Cinecittà

È la Hollywood italiana e nei suo studi cinematografici sono nati più di 3000 film, 90 hanno avuto una nomination all'Oscar e 47 hanno vinto. Qualche titolo? *Ben Hur* di Wyler, *Il Padrino 3* di Coppola, *Gangs of New York* di Scorsese e molti altri! È come un piccola città, ha 22 teatri e un'enorme piscina all'aperto per rappresentare scene sul mare.

Neorealismo

È un famoso genere cinematografico che nasce in Italia durante la Seconda Guerra Mondiale. I film vogliono raccontare in modo realistico la difficile vita di tutti i giorni e i sentimenti "veri", in contrasto con i film di Hollywood. Tra i capolavori* del Neorealismo abbiamo *Roma città aperta* di Roberto Rossellini (1945), *Ladri di biciclette* di Vittorio De Sica (1948) e *La terra trema* di Luchino Visconti (1948). Queste opere hanno cambiato la storia del cinema perché, per la prima volta, la vita reale è protagonista dei film.

Cinema

Alberto Sordi (1920-2003)

Questo attore romano è stato il re della Commedia all'italiana! Sordi ha raccontato tante storie sull'italiano tipico divertenti e tristi allo stesso tempo. Ha recitato in capolavori come *La grande guerra* di Mario Monicelli (1959) o *Tutti a casa* di Luigi Comencini (1960). Alcuni dei suoi personaggi, come *Il marchese del Grillo* (1981), sono amatissimi da tutti gli italiani come esempio del suo carattere generoso, orgoglioso, pratico e ironico tipico di Sordi e dei romani.

La grande bellezza

Premio Oscar nel 2014 è l'ultimo grande successo con Roma come protagonista. Il film di Paolo Sorrentino ha ispirazione da "La Dolce Vita" di Fellini e racconta criticamente la vita dell'alta società romana. Ma non è la storia che emoziona: è la bellezza straordinaria di Roma.

capolavori opere di grandissimo valore

Habemus papam

▶ 9 Esce un po' di fumo dal tetto della Cappella Sistina, dove c'è il conclave* con tutti i cardinali: se è nero, non abbiamo ancora il nuovo papa, se è bianco "habemus papam", che significa "abbiamo il papa" e tutte le campane della città cominciano a suonare.

Uno Stato indipendente

Città del Vaticano è anche uno Stato indipendente, il più piccolo del mondo per dimensione e numero di abitanti.

Il Papa è il Capo di questo Stato antichissimo, molto più dell'Italia, perché nasce già alla fine dell'Impero Romano.

La costruzione di San Pietro

Papa Giulio II decide di costruire una basilica enorme sopra la tomba di San Pietro, il "padre della Chiesa". Il 18 aprile 1506 iniziano i lavori per costruire la chiesa più grande del mondo e questi lavori continuano per 120 anni! Tutti i più grandi artisti hanno lavorato a San Pietro: da Perugino a Botticelli, da Bramante a Michelangelo, da Raffaello a Bernini.

conclave riunione di cardinali per scegliere il Papa

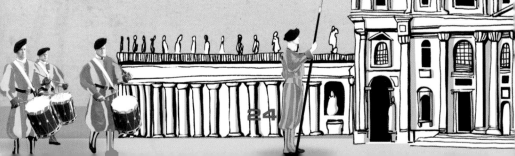

24

L'esterno: il colonnato, l'obelisco

Piazza San Pietro è unica, per grandezza e bellezza. Le tre serie di colonne (284 in tutto) sono un'idea geniale di Gian Lorenzo Bernini: sono come due grandi braccia aperte per abbracciare i fedeli di tutto il mondo. La piazza circolare con, davanti, via della Conciliazione ha la forma di una chiave* e due chiavi sono il simbolo del Vaticano. Al centro c'è un antico obelisco egiziano, portato in città dai Romani nel 40 d.C.

L'interno: la Pietà, il baldacchino

La Chiesa di San Pietro è lunga 190 metri e alta 130. Può accogliere più di 20.000 persone! Dentro la chiesa ci sono infiniti capolavori. Tra questi, è impossibile dimenticare il bellissimo baldacchino del Bernini, costruito con il bronzo del Pantheon, che sta sopra la tomba di San Pietro, e la Pietà di Michelangelo, capolavoro di dolcezza e perfezione.

I giardini Vaticani

Sono grandissimi (2/3 di tutto il Vaticano), con fontane, giochi d'acqua, sculture e, soprattutto, piante da ogni parte del mondo: in ogni stagione ci sono infiniti fiori e colori. Dai giardini è possibile vedere la meravigliosa cupola di Michelangelo in modo differente e originale.

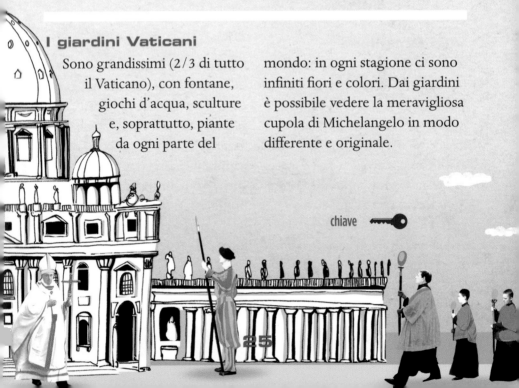

chiave ━○

25

Itinerari nelle

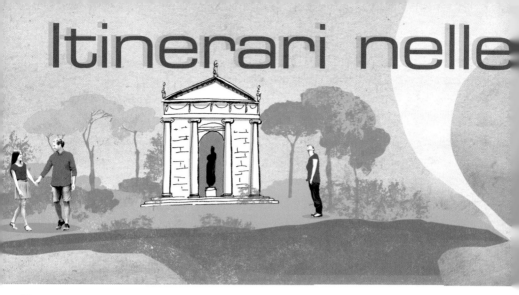

▶ 10 Ti piacciono la storia e l'arte, ma anche la natura? Allora ci sono tanti itinerari perfetti per te.

Roma ha parchi grandissimi, in origine giardini di grandi case di nobili chiamate "ville", con una natura splendida, monumenti e opere d'arte. Sono tra i luoghi preferiti dai ragazzi romani che qui giocano, fanno sport e si incontrano.

Villa Borghese

È la villa più amata dai romani. Puoi partire dalla Galleria Borghese, uno dei musei più importanti di Roma. Poi in bicicletta, o a piedi, puoi arrivare al Bioparco o alla Galleria d'arte moderna e contemporanea. Puoi riposare davanti al laghetto e vedere lo speciale orologio ad acqua o arrivare alla Casina di Raffaello con la sua ludoteca*. Accanto c'è Piazza di Siena, dove si svolgono importanti gare di equitazione. Infine, in fondo, c'è il Pincio: uno dei punti panoramici più famosi della città. I romani chiamano Villa Borghese "il cuore verde" di Roma perché i giardini hanno la forma di un vero cuore.

ludoteca luogo dove si va per giocare

Ville

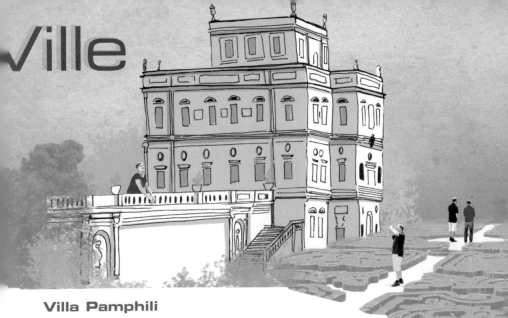

Villa Pamphili

È il parco romano più grande, una vera foresta nella città,
con ancora la struttura originale del 1600. Una buona idea è muoversi
in bicicletta: ci sono tanti chilometri di pista ciclabile. Puoi fare un
bellissimo percorso tra laghi, riserve naturali e poi, se c'è tempo,
vedere uno spettacolo nella "Casa dei Teatri".

Villa D'Este

Si trova a Tivoli, vicino
Roma. È patrimonio
dell'UNESCO ed ha
uno straordinario
parco acquatico. Un
numero incredibile
di fontane, grotte,
giochi d'acqua e
musiche idrauliche,
che hanno ispirato
tutti i giardini più
importanti del mondo,
come ad esempio
quello di Versailles.
Prima di entrare, non
dimenticare di visitare
l'antica Villa Adriana,
l'antica residenza
dell'imperatore
romano Adriano.

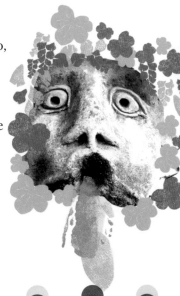

Leggende
e misteri

▶ 11 Una città "eterna" ha molte storie da raccontare, spesso misteriose e leggendarie. Ecco alcune delle più sorprendenti!

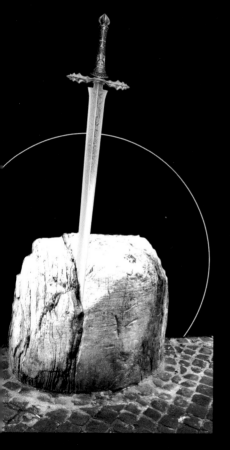

Il Vicolo* della spada di Orlando

Conosci Orlando, il mitico soldato dell'esercito di Carlo Magno? Un giorno, in un viaggio a Roma, combatte contro alcuni nemici e colpisce per errore una colonna di marmo con la sua spada magica, la Durlindana. Anche oggi è possibile vedere in una piccola via del centro di Roma la colonna tagliata perfettamente in due parti.

vicolo strada molto stretta
maschera (qui) grande faccia di pietra

La bocca della verità

È una grande maschera★ di marmo attaccata su un muro della chiesa di Santa Maria di Cosmedin, un viso misterioso con una lunga barba e grandi occhi. Secondo la leggenda, se dici una bugia e metti la mano nella bocca, la maschera la mangia! In realtà, la maschera è solo l'entrata di un'antica… fogna★.

Passaggi segreti

Quante guerre ha visto Roma! Per questo è sempre necessario avere una via segreta di salvezza. Secondo la tradizione, ci sono due passaggi segreti per salvare il papa in caso di attacco. Tutti e due portano a Castel Sant'Angelo, una vera fortezza militare. Il primo parte dal Vaticano e il secondo parte dal Palazzo della Dataria, vicino al Quirinale. Una leggenda dice che papa Pio XI ha usato questo passaggio nel 1848 per salvarsi dai rivoluzionari.

La pietra del diavolo

La leggenda racconta che nel 1220 San Domenico prega di notte nella chiesa di Santa Sabina, quando all'improvviso appare il diavolo. San Domenico resiste alle sue tentazioni e così il demone si arrabbia, prende una grande pietra nera dal tetto della chiesa e la tira con forza a San Domenico. La pietra cade vicino al Santo, ma lui non ferma la sua preghiera, tranquillo. Anche oggi è possibile vedere nella chiesa la grande pietra nera, con i segni degli artigli★ del diavolo!

fogna canali sotto terra dove va l'acqua sporca di case e strade
artigli unghie lunghe di molti animali

Musica

▶ 12 "*Roma non fa'[re] la stupida* * *stasera…*".
È il testo di una delle numerose canzoni romane: chi canta deve uscire la sera con una donna e chiede alla città di… essere romantica e di aiutarlo. E Roma, luogo pieno di passione, naturalmente lo aiuta!

Gli stornelli

Lo "stornello" è una forma d'arte molto antica e tipica delle feste popolari. È una poesia in musica, nel divertente dialetto romanesco: chi canta uno stornello vuole prendere in giro* una persona o raccontare un fatto, esprimere l'amore o la tristezza. È un po' simile al rap di oggi, i cantanti creano le parole in rima* mentre cantano! Ci sono anche delle gare: i cantanti ricevono un primo verso* e poi… devono continuare con la loro fantasia, a volte, anche con parole un po' volgari!

Antonello Venditti

In quaranta anni ha venduto 30 milioni di dischi: il cantautore* romano Antonello Venditti è amatissimo e le sue canzoni sono nella storia della canzone italiana. Per la sua adorata città ha scritto *Roma capoccia* (1972) traduzione in dialetto romanesco della frase latina "Roma caput mundi" e *C'è un cuore che batte nel cuore di Roma* (1986). In onore della sua squadra di calcio, la Roma, ha scritto *Grazie Roma* (1983). Tantissime le sue canzoni d'amore come *Nata sotto il segno dei pesci* (1978), *Sara* (1978) o *Amici mai* (1991).

stupida non intelligente, sciocca
prendere in giro ridere su qualcosa o qualcuno
rima quando due parole hanno un suono uguale
verso frase di una poesia

Ennio Morricone

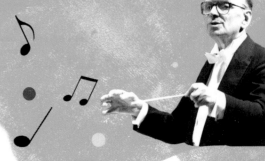

La colonna sonora* di *Mission* con Robert De Niro? Le melodie degli spaghetti western di Sergio Leone con Clint Eastwood? La musica di *Nuovo Cinema Paradiso*, di Tornatore? Sono tutte sue! Morricone ha scritto le musiche in più di 500 film e ha vinto tutti i premi più importanti. Ha vinto anche due Oscar (uno alla carriera e uno per *The Hateful Eight* di Tarantino) e ha avuto 5 nomination.

Auditorium della Musica

È un paradiso dell'arte e della musica. Concerti di musica classica, jazz, leggera, contemporanea, folk, danza, balletto, teatro, letteratura… Un esempio? Nel 2012 ha ospitato 1.290 eventi per un totale di 1.001.661 visitatori ed è stato la prima struttura culturale europea come numero di visitatori e la seconda nel mondo dopo il Lincoln Centre di New York. L'Auditorium è anche bellissimo, costruito su un progetto dell'architetto Renzo Piano. Un'ultima curiosità: dentro ci sono dei resti di un'antica villa romana.

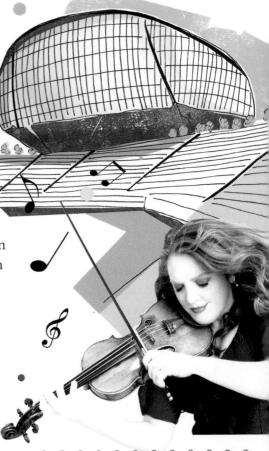

cantautore chi scrive e canta le sue canzoni
colonna sonora la musica di un film

Notte dei musei

▶ 13 Ecco una bellissima occasione per vedere Roma in modo diverso! La Notte dei musei è un evento comune in tutta Europa: i musei sono aperti dalle 20 alle 2 della notte, con concerti, danza, teatro, letture ed eventi in tutta la città!

I Musei Vaticani

Tutto ha inizio nel 1503: Papa Giulio II, innamorato dell'arte, mette un gruppo di antiche statue romane nel Cortile Ottagono del Vaticano e così nasce questa straordinaria collezione! Oggi i Musei Vaticani sono un'esplosione di arte greca, romana, del Rinascimento, del Barocco... insieme con gli Uffizi, sono i musei più importanti d'Italia! Tra i tanti capolavori, nella Stanza della Segnatura, puoi vedere il famoso dipinto *La scuola di Atene* di Raffaello.

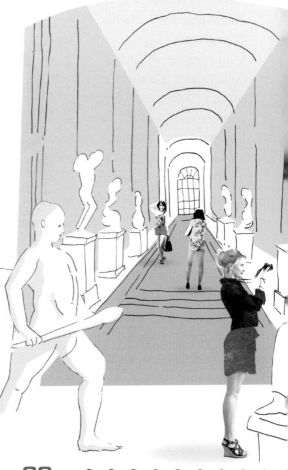

La Cappella Sistina

Fa parte dei Musei Vaticani e contiene alcuni dei più straordinari capolavori al mondo: le *Storie di Cristo e di Mosè* dipinte da Botticelli, Perugino e Signorelli, le *Storie della Genesi* e il mitico *Giudizio Universale* di Michelangelo. La Cappella è lunga 40 metri e larga 13 metri: Michelangelo ha dovuto dipingere una superficie enorme, come un campo da football americano! Una curiosità: sapete che Michelangelo preferisce la scultura alla pittura? Quello della Cappella Sistina è stato il suo primo affresco in assoluto! Niente male, eh?!

I Musei Capitolini

Si trova sul Campidoglio ed è il museo di Roma e della sua storia. Dentro, fra molti importanti oggetti, c'è la statua in bronzo dell'animale più famoso della città: la lupa. Secondo la leggenda, la lupa ha salvato e nutrito i gemelli* Romolo e Remo. Romolo è il mitico fondatore* di Roma.

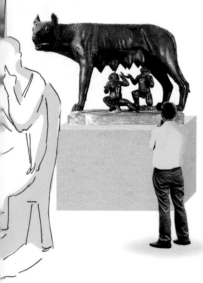

MACRO e MAXXI

Ma Roma non è solo passato, è anche straordinario futuro con musei come il MACRO e il MAXXI. Il palazzo del MAXXI è dell'architetto Zaha Hadid, che ha trasformato un palazzo già esistente, la Caserma* Montello. Il nome significa Museo di Arte Contemporanea del XXI secolo e il museo si occupa soprattutto di architettura. Il MACRO è dell'architetto Odile Decq e ospita 600 opere.

gemelli fratelli che sono nati insieme
fondatore chi ha costruito o creato qualcosa
caserma luogo dove vivono i soldati

Oggetti e Occasioni

▶ 14 C'è un luogo magico, dove puoi vedere bene la vita e il carattere dei romani: il mercato! Se vuoi comprare qualcosa, la vera esperienza è andare a Porta Portese, a Piazza Vittorio, in Via Sannio...

Porta Portese

I venditori preparano le bancarelle* molto presto e se hai passato la notte fuori e torni a casa, puoi già vedere i primi oggetti. Vendono tutto, dai vestiti alle borse, dai mobili a vecchi dischi e CD. La cosa più divertente forse sono i dialoghi tra i venditori e i clienti*, spesso molto lunghi: i primi vogliono vendere a tutti, i secondi chiedono uno sconto*! È il mercatino più famoso di Roma: lo ha raccontato perfettamente il cantante Claudio Baglioni, nella canzone *Porta Portese*.

bancarella
clienti persone che vogliono comprare

sconto pagare di meno
calza   carbone

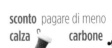

Mercato di Piazza Vittorio

Se Porta Portese è il mercatino più famoso e visitato a Roma, Piazza Vittorio (che è in Via Giolitti) è dove ancora i romani vanno a fare la spesa di tutti i giorni. I prezzi, infatti, sono buoni e i prodotti freschi. È anche un simbolo dell'anima multiculturale di Roma: nel mercato puoi trovare cibo asiatico, africano e da tutte le parti del mondo. Devi andare e provare!

Mercato di Natale di Piazza Navona

Roma nel periodo di Natale ha un'atmosfera calda e magica! Vai a Piazza Navona, di sera: c'è il Mercatino della Befana, una simpatica nonna che nella tradizione romana e italiana la notte del 6 gennaio va in tutte le case e mette i regali in una calza* per i bambini buoni e carbone* per i cattivi. Ma il carbone in vendita nel Mercatino è in realtà un dolce tipico e buonissimo.

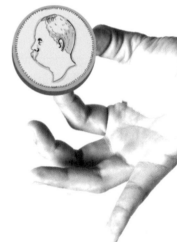

Il mercatino *vintage* di Via Sannio

Se ti piace il genere *vintage*, se ami girare per i mercati e scoprire oggetti strani e particolari tra la confusione e tanta gente, allora non puoi perdere il mercatino di Via Sannio, famoso già dagli anni '60 e '70 per i vestiti. Oggi, in una parte del mercatino vicino alle Mura Aureliane, sono famose le bancarelle con vestiti usati, di seconda mano.

Piazze

Quali sono le piazze più belle di Roma? Impossibile fare una classifica, ma se sei a Roma, non dimenticare di visitare queste meraviglie.

Piazza di Spagna

È forse la più elegante, con la famosa scalinata di Trinità dei Monti e prende il nome dalla vicina ambasciata spagnola. Uno dei momenti più belli a Roma è stare seduti al tramonto e guardare il panorama da queste famose scale, tra turisti, coppie di innamorati e venditori di rose. Davanti alla scalinata c'è Via Condotti, la più nota (e costosa!) via della moda.

Da non perdere* una visita alla vicina casa del poeta inglese Keats, oggi un bel museo dedicato al Romanticismo inglese.

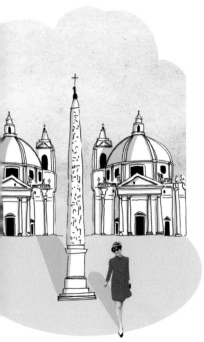

Piazza del Popolo

Forse meno affollata di altre piazze, è molto amata dai Romani e dagli artisti di strada che fanno spettacoli per i turisti. È grandissima, con un gigantesco obelisco egizio al centro (è stato di Ramesse II!), fontane e splendide statue. Ricordi il libro *Angeli e Demoni*, di Dan Brown? L'avventura inizia qui, nella splendida chiesa di Santa Maria del Popolo, nella cappella Chigi di Raffaello.

Un consiglio: attenzione al caldo in estate! Nella piazza non c'è ombra*, così è meglio visitarla di mattina presto!

da non perdere da vedere assolutamente
ombra parte dove non c'è la luce del sole
circondata che ha tutto intorno
statua equestre statua di un personaggio a cavallo

Piazza del Campidoglio

Questa piccola piazza è come un balcone sopra i Fori Imperiali, Piazza Venezia e il monumento al Milite Ignoto. Progettata da Michelangelo nel 1536, sta in cima ad un'elegante scalinata (si chiama "la cordonata"), circondata* dai palazzi del governo della città di Roma e i Musei Capitolini. Con le eleganti decorazioni di marmo a terra, la statua equestre* di Marco Aurelio al centro e le forme dei palazzi intorno questa piazza è unica!

Campo de' Fiori

Si chiama così perché nel 1400 è stato veramente un "campo" con erba e fiori. Oggi è uno dei luoghi più vivi e famosi della città: di mattina c'è il mercato, specialmente per la frutta e verdura; per il pranzo e la cena arrivano i turisti che amano le trattorie con i tavoli all'aperto*. Di notte la piazza è il luogo di incontro e di divertimento per moltissimi giovani (romani e non solo), a volte anche troppo caotico* e rumoroso.

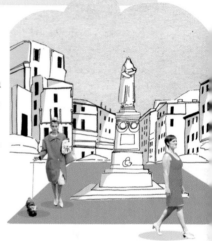

Piazza Mincio

Vuoi conoscere un luogo incredibile sconosciuto dai turisti? Piazza Mincio, nel quartiere Coppedè (il nome dell'architetto che lo ha progettato) ha uno stile fantastico, tra liberty, gotico, barocco e anche medievale! Costruita nei primi anni del '900, ha nel centro la Fontana delle Rane e palazzi originali, come il Palazzo del Ragno e il Villino delle Fate*.

all'aperto fuori
caotico pieno di gente e di suoni

fate personaggi del mondo delle favole, sono donne buone che sanno fare magie

Quirinale e politica

16 Nella Roma antica è stato un colle tranquillo, dove i romani hanno deciso di costruire un tempio in onore del dio Quirino, il dio delle attività di pace degli uomini liberi.

Per questo motivo anche oggi il luogo e il famoso palazzo si chiamano così. Ogni momento importante della storia d'Italia ha visto importanti personaggi che salgono sul colle Quirinale ed entrano nel Palazzo del Presidente!

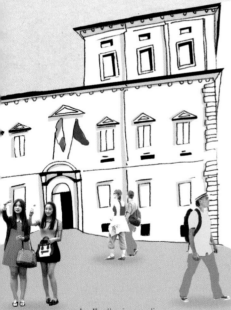

Quirinale e il Capo dello Stato

Quante storie, quanti grandi uomini ha visto il Quirinale, gioiello dell'architettura barocca e neoclassica! Palazzo papale fino al 1870, poi il Re d'Italia lo sceglie come Palazzo Reale. Nel 1946, con la Repubblica, è la prestigiosa casa del Presidente della Repubblica, il Capo dello Stato, dove lo assistono 1720 persone con diversi incarichi e ruoli. È il settimo palazzo più grande del mondo, con 1200 splendide stanze: 20 volte più grande della Casa Bianca a Washington!

a caccia di alla ricerca di
manifestazioni momenti in cui i cittadini si mettono insieme per chiedere qualcosa
assemblee gruppi di persone che devono guidare o decidere qualcosa

imponente di grandi dimensioni
corruzione situazione in cui un politico usa il suo potere per sé e non per i cittadini

Montecitorio e Palazzo Madama: Camera e Senato

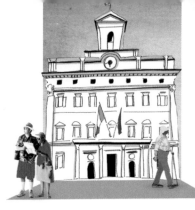

È facile riconoscerli: ci sono sempre giornalisti a caccia* di politici e frequenti manifestazioni* di cittadini. Palazzo Montecitorio è, infatti, la sede della Camera dei Deputati e Palazzo Madama è la sede del Senato della Repubblica. Sono le due Assemblee* dove si decidono le leggi italiane. Nel Palazzo Montecitorio c'è il famoso "transatlantico", grandissimo e lussuoso corridoio dove molti politici si incontrano e prendono le decisioni prima di votare, decorato con uno stile simile alle grandi navi dei primi anni del '900. Niente male, eh?!

Palazzo Chigi e il governo

Lungo Via del Corso c'è una grande piazza con al centro un'imponente* colonna romana, decorata con le storie delle vittorie dell'Imperatore Marco Aurelio. Di fronte c'è Palazzo Chigi, che dal 1961 è la sede del Presidente del Consiglio, quindi del Governo della Repubblica, e ospita le riunioni dei Ministri. Tra le numerose stanze, è famoso il "Salone D'oro", parte dell'appartamento privato del Presidente del Consiglio.

Il "palazzaccio" e la Magistratura

Completato nel 1911, si chiama ufficialmente Palazzo di Giustizia: è la sede della Corte di Cassazione ed è il simbolo della legge italiana. Ma i romani non lo hanno mai amato e lo hanno chiamato "il palazzaccio" per l'estetica "eccessiva" e alcuni scandali di corruzione* al tempo dei lavori di costruzione! Davanti al palazzo c'è il Ponte Umberto I, luogo ideale per una magnifica foto della Basilica di San Pietro.

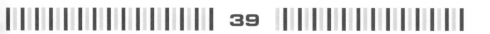

Resti
e rovine

▶ 17 La "Città Eterna" è nata come un piccolo villaggio di pastori e, in pochi secoli, è arrivata ad essere la prima metropoli al mondo con più di un milione di abitanti, capitale di un impero sconfinato*. Andare a Roma oggi significa vedere con i tuoi occhi la gloria di una città che ha cambiato la storia!

I Fori Imperiali

È una delle aree archeologiche più famose al mondo: sono circa 150 resti di palazzi, templi, piazze e monumenti costruiti nell'antica Roma, centro politico dell'Impero, per ospitare grandi cerimonie pubbliche e religiose. Il primo Foro* è stato costruito da Giulio Cesare nel 54 A.C. Da poco tempo è possibile visitare i Fori di notte, grazie a 520 luci al LED: uno spettacolo indimenticabile, progettato da Vittorio Storaro, vincitore di 3 premi Oscar come direttore della fotografia.

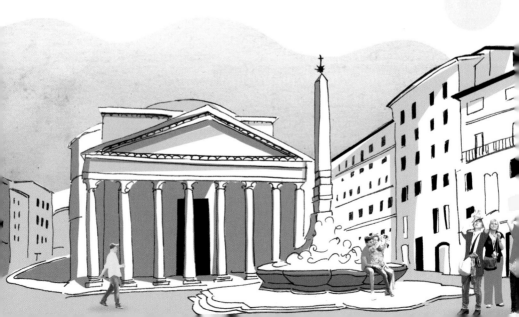

Il Colosseo

Colossale significa gigantesco, enorme! Questa è stato l'aggettivo usato dai romani nel medioevo, quando hanno guardato con meraviglia questo incredibile anfiteatro, il più grande del mondo.
Il nome originario è Anfiteatro Flavio, costruito tra il 72 D.C. e l'80 D.C., un incredibile stadio per oltre 60.000 spettatori dove vedere le lotte dei gladiatori, ricostruzioni di guerre famose e anche battaglie navali! È il monumento italiano più famoso e visitato, vera icona della cultura e storia romana.

Il Pantheon

In origine è stato un tempio di tutte le divinità* romane, poi una chiesa cristiana. È un vero capolavoro dell'architettura di ogni tempo, all'interno è una perfetta semisfera*, con l'idea di racchiudere* il mondo e il cielo intero. Ha una sola finestra, nel centro della perfetta cupola; da questo buco entrano i raggi del sole, con bellissimi cambi di luce. Nel giorno di Pentecoste dal buco cade la famosa pioggia delle rose, tantissimi fiori rossi coprono la chiesa, in ricordo del sacrificio di Cristo.

Il "Lapis Niger"

È un luogo misterioso, dentro i Fori Imperiali, dove sulla terra c'è un quadrato formato da marmo nero (in latino "lapis niger" significa "pietra nera"), al contrario del normale marmo bianco. Sotto queste pietre, gli archeologi hanno trovato un antichissimo altare, con una strana scritta: "chi entra in questo luogo, è maledetto!". Per alcuni studiosi è la vera tomba di Romolo, il mitico fondatore della città.

sconfinato senza un limite
Foro il centro cittadino delle antiche città romane
divinità le figure divine e del mito dell'antica Roma

semisfera la metà di una sfera (esempio una palla)
racchiudere mettere dentro

Sport

18 Alle Terme di Caracalla anche oggi puoi vedere tanti mosaici* romani con atleti che fanno sport, sia uomini che donne! Dagli antichi gladiatori e ginnasti, fino ai moderni calciatori, il rapporto tra Roma e lo sport è molto vivo e ricco di passione.

Antagonismo Roma-Lazio

"Sei della Roma o della Lazio?" Per un romano, questa è un'informazione molto importante quando conosce una nuova persona. Le due squadre di calcio di Roma dividono la città e battere la rivale è importante quasi come vincere il Campionato. Infatti se il romanista, o il laziale, perde, il giorno dopo è terribile andare a lavoro, a scuola o camminare per strada e ascoltare al tempo stesso l'ironia e la presa in giro dei vincitori.

"Maggica"*

- La Roma è la squadra più con più tifosi* nella città.
- Nata nel 1927 ha vinto tre titoli nazionali ed il suo simbolo è la Lupa.
- I suoi giocatori più bravi sono veri idoli.
- In città e negli ultimi anni il giocatore più importante è stato sicuramente Francesco Totti, nato e cresciuto a Roma, chiamato con affetto er pupone*, il ragazzo della strada che ha avuto successo nella vita.

Le Aquile

- La Lazio è la seconda squadra di Roma.
- Nata nel 1900, ha vinto due titoli nazionali ed il suo simbolo è l'aquila.
- La Lazio ha numerosi tifosi che arrivano dalle città vicine.
- Roma e Lazio giocano nello stesso stadio, l'Olimpico, ma attenzione a non fare errori: la parte della Lazio è la Curva Nord, la Curva Sud è tutta della Roma.

mosaico opera, molto comune nell'arte antica, fatta con piccoli pezzi di tanti colori diversi

Maggica Magica, è il nome con cui i romani parlano della Roma

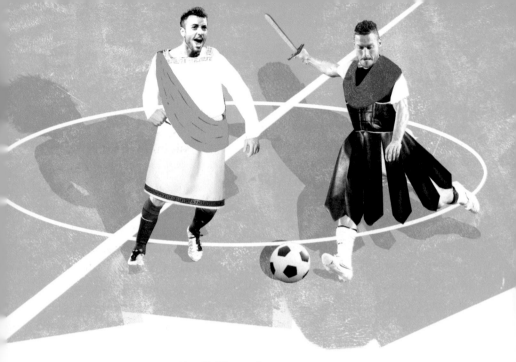

Gli internazionali di Tennis

Ti piace il tennis? Ogni anno, a maggio, Roma ospita gli "Internazionali di tennis", il secondo torneo più importante al mondo sulla terra rossa*.

Il bellissimo stadio del tennis, decorato con statue di marmo che rappresentano i vari sport, si chiama Foro Italico ed è sempre pieno di spettatori appassionati.

Maratona di Roma

Correre tra i Fori, il Colosseo, lungo il Tevere e attraverso tutti i grandi monumenti di Roma: è un'occasione splendida! Normalmente è quasi impossibile per le tante automobili in città. Ogni marzo, però, è possibile partecipare alla celebre Maratona di Roma. È una vera festa per l'intero centro storico ed è l'evento sportivo con più partecipanti in Italia. Se vuoi correre anche tu, devi iscriverti quasi un anno prima nel sito internet della corsa. Non perdere tempo!

tifosi le persone che seguono con passione una squadra

er pupone "il bambinone" in dialetto romanesco

terra rossa un tipo terra per campi da tennis

Trastevere

▶ 19 Piazza Navona? Bene. San Pietro? Benissimo! Il Colosseo? Beh, probabilmente è la prima cosa che hai visto! Ma non partire da Roma senza vivere l'anima più intima della città: devi attraversare il Tevere da ponte Sisto o da ponte Palatino e poi fare una bella passeggiata per il quartiere Trastevere!

Quartiere popolare

È un quartiere autentico e colorito, dove puoi sentire il cuore del popolo romanesco: questo è Trastevere. Durante il giorno ti regala visioni e "foto" uniche, è come un piccolo villaggio dentro ad una metropoli, con un labirinto di piccole vie, botteghe* artigiane, piccoli negozi, mercati, tanta gente che si ferma a parlare per strada. La sera il quartiere si trasforma e diventa uno dei luoghi preferiti dai turisti per mangiare in una trattoria e passare la serata.

Belli e Trilussa

Una statua dedicata a Trilussa, può stare solo in questo quartiere. Lui e Giuseppe Gioacchino Belli sono stati l'anima popolare della letteratura romanesca. Le loro opere hanno descritto il modo di pensare e la pratica saggezza* del popolo romano, sempre pronto a ridere di tutto e a scherzare anche sulle cose tristi. Belli e Trilussa hanno scritto le loro poesie in dialetto romanesco, il linguaggio autentico della città.

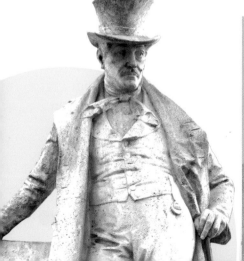
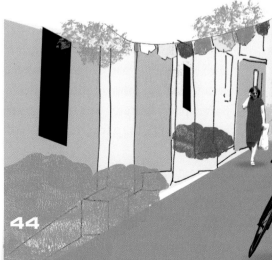

44

Le pasquinate

Vicino a Piazza Navona c'è una piazza più piccola, con una statua del II sec. d.C. È la statua di Pasquino, la più famosa statua "parlante" di Roma. Da secoli, infatti, i romani hanno attaccato segretamente sotto Pasquino poesie, frasi, scritti anonimi che hanno preso in giro gli uomini più potenti della città. Sono le famose pasquinate, uno dei migliori esempi del naturale amore dei romani per la satira★.

Visite speciali

Non è solo bello camminare per i vicoli di questo quartiere, ci sono infatti anche tour sul cinema, per visitare i tanti luoghi presenti in film famosi, e le passeggiate nei giardini segreti di Trastevere. Questi giardini sono dentro una villa, normalmente chiusa: puoi vedere bellissimi alberi, statue e anche la piccola, preziosa chiesa del Sacro Cuore, in stile neo-gotico.

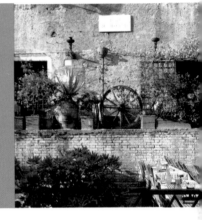

bottega luogo dove si fanno oggetti a mano
saggezza conoscere il mondo e le sue regole
satira prendere in giro il potere

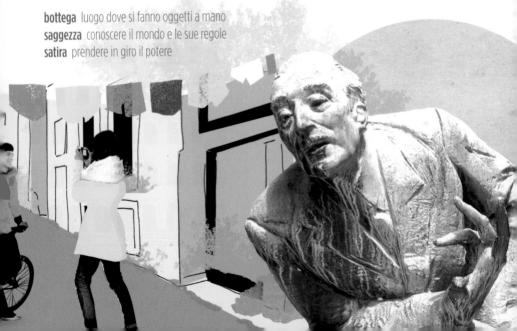

Usi e costumi

> ▶ 20 Una grande città come Roma crea ogni giorno nuove mode e
> abitudini. A volte le mode cambiano rapidamente, ma qualche volta
> diventano simboli della vita romana, come il rito★ della passeggiata
> in Via del Corso, la cena a Trastevere, la partita di calcio della
> Roma, o la domenica nelle Ville (Borghese, Ada...).

Eataly

Il terzo luogo più visitato di
New York è Eataly, il grande
marchio★ del cibo italiano
di qualità nel mondo. Ma è
molto importante anche in
Italia ed i romani lo amano.
Nel 2011 nella Capitale ha
aperto l'Eataly dei record,
il più grande del mondo:
quattro piani e uno spazio
quasi... infinito, con il meglio
della gastronomia italiana.
Puoi mangiare in ristoranti
eccellenti, comprare i cibi
più rari ed esclusivi, o anche
seguire lezioni su tanti
argomenti.

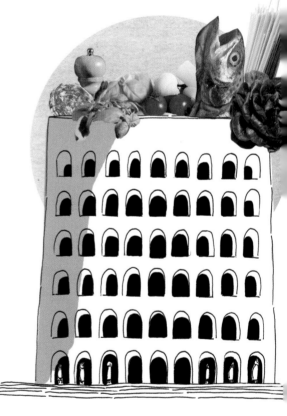

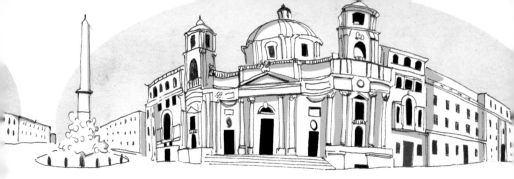

Turisti... moderni!

Vuoi essere un turista all'ultima moda? Non devi camminare, prendere l'autobus o un taxi. Oggi puoi visitare Roma con un *segway*. Che cos'è? È un grande monopattino* a motore, veloce e silenzioso. I *tour* turistici con questo nuovo mezzo di trasporto sono ora molto popolari, ma anche un po' cari.

San Lorenzo, popolare e universitario

Ti senti un po' *bohemien*? Vuoi un luogo vivo, ma con meno caos? Vai nel quartiere di San Lorenzo, un po' lontano dai luoghi turistici. Durante la Seconda Guerra Mondiale è stato il quartiere di Roma più colpito, ma oggi è un luogo molto amato dagli studenti universitari. Qui la gente ama stare in piazza, di giorno e di notte, tra musica dal vivo e artisti di strada.

Ostia d'estate

Se vai a Roma, in estate, puoi vedere tanta gente, tantissimi turisti, ma... i romani? Beh, facile: molti sono a Ostia, la vicina città sul mare con la spiaggia più amata da sempre: infatti, lì c'è anche Ostia Antica, l'antico porto* di Roma e uno dei luoghi archeologici più importanti d'Italia. Ogni estate Ostia diventa il centro del divertimento per i romani, con eventi importanti, concerti e tanta vita, di giorno in spiaggia, e di notte nei tanti ristoranti e discoteche.

rito una cosa molto comune, una tradizione
marchio *brand*

monopattino mezzo per muoversi, con due ruote
porto luogo dove partono e arrivano le navi

Vie e Vicoli

▶ 21 Prova, un giorno, a lasciare la mappa nello zaino, e gira per le vie e i vicoli del centro storico di Roma, segui solo i tuoi occhi e la tua curiosità. Puoi girare per una via importante, famosa per lo shopping e poi, poco dopo, arrivare in un vicolo o in una piccola e romantica piazzetta. È un'esperienza unica!

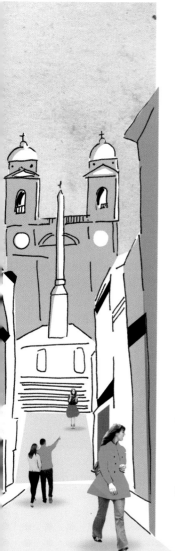

Via Condotti e lo shopping "firmato*"

Più che una via piena di negozi, è una vera galleria dello stile italiano e del design! Ecco i nomi più famosi della moda, come Armani, Valentino, Prada, Versace, Ferragamo… Camminare è difficile, ci sono sempre moltissime persone, ma solo pochi fortunati possono comprare i vestiti, le borse e le scarpe più costose del mondo!

Via Veneto e la Dolce Vita

La splendida Roma negli anni '60 è stata la destinazione amata da attori, cantanti e tante altre celebrità. Il loro luogo preferito? Via Veneto, con i suoi caffè, i suoi ristoranti e i tanti fotografi, chiamati "paparazzi", sempre alla ricerca di una foto per i giornali. Ha descritto questa straordinaria atmosfera il grande Federico Fellini, nel suo famoso film *La Dolce Vita*.

shopping firmato comprare cose degli stilisti famosi

48

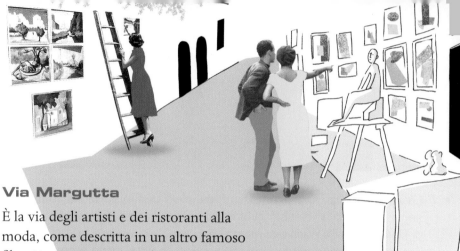

Via Margutta

È la via degli artisti e dei ristoranti alla moda, come descritta in un altro famoso film: *Vacanze romane*. Molte celebrità hanno abitato qui, come l'attrice Anna Magnani, il regista Fellini, il pittore Giorgio De Chirico. Ogni anno c'è una mostra d'arte molto importante, *100 Pittori a Via Margutta*, quando la strada diventa una galleria d'arte sotto il cielo, con più di 1000 opere esposte.

Via Nazionale

È un'importante via di Roma che collega la Stazione Termini con Piazza Venezia e l'Altare della Patria. È anche una via dello shopping, elegante, ma più economica di Via Veneto e Via del Corso. C'è il bel Teatro dell'Opera e il Palazzo delle Esposizioni, con bellissime mostre d'arte tra le più importanti d'Italia. Alla fine della via, ci sono i resti degli antichi Mercati di Traiano: il primo importante segno, per chi viene dalla Stazione, della grande storia di questa città!

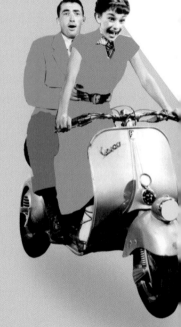

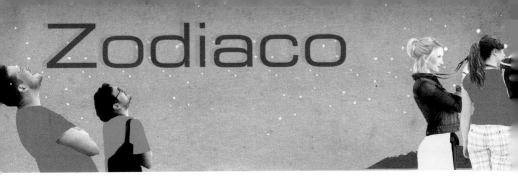

Zodiaco

22 Lo Zodiaco è la rappresentazione del cielo con le stelle raccolte in segni chiamati "zodiacali". Ma lo Zodiaco è anche un celebre luogo di Roma, dove è possibile essere "in cielo" e guardare uno stupendo panorama. Ecco i più famosi "balconi" della città, dove ammirare tanta bellezza dall'alto!

Lo Zodiaco

È un balcone panoramico in cima a Monte Mario, ideale conclusione dopo una passeggiata romantica in collina. Non c'è solo la vista di una grande parte del centro città, ma è possibile anche esplorare il cielo: sempre nella collina Monte Mario, è infatti possibile visitare l'interessante Museo Astronomico di Roma e la Torre Solare. Su questa strana torre, puoi osservare il sole e tutti i colori formati dalla sua luce.

Il Pincio

Un'altra collina nel centro città, amata dagli antichi romani per i suoi splendidi giardini. Il geniale architetto Valadier nel 1816 trasforma questo balcone naturale in un capolavoro: un' enorme collezione di statue, fontane, alberi, obelischi, (anche un incredibile orologio ad acqua!) per quello che è stato il primo parco pubblico della moderna città. È veramente emozionante arrivare da Piazza del Popolo e vedere la luce del tramonto sul centro storico.

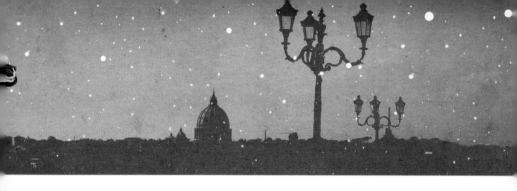

Il Gianicolo

Gruppi di ragazzi, bambini, famiglie e turisti: tutti amano salire sul colle Gianicolo per vedere un altro famoso panorama della città, forse il più bello. Al centro della piazza c'è una grande statua di Garibaldi a cavallo, in memoria dell'unità d'Italia; sotto la statua, ogni giorno a mezzogiorno, un grande cannone* spara un colpo per indicare l'ora esatta a tutte le campane delle chiese della città. È un'antica tradizione che continua anche oggi.

L'Aventino

Su questo colle, vicino al Circo Massimo, ci sono chiese medievali, parchi naturali e il giardino degli aranci, da dove osservare un bel panorama della città. Ma esiste anche una visione "segreta" da non perdere: nella Piazza Cavalieri di Malta c'è una grande porta chiusa di una villa. Se ci sono persone in fila, aspetta qualche minuto, poi osserva anche tu dal buco della chiave: puoi vedere un'incredibile prospettiva della Cupola di San Pietro! Che sorpresa emozionante!

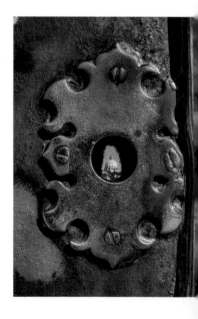

cannone oggetto che si usa in guerra per lanciare bombe

Artisti

Abbina i nomi degli artisti alle descrizioni corrette

1 ☐ Michelangelo Buonarroti
2 ☐ Caravaggio
3 ☐ Gian Lorenzo Bernini
4 ☐ Francesco Borromini
5 ☐ Mario Schifano

A Grande viaggiatore, ha lavorato anche per il cinema.
B Vuole dimostrare di essere l'artista più bravo del Barocco a Roma.
C Deve scappare da Roma perché ha ucciso un uomo.
D Ha progettato il grande colonnato di piazza San Pietro.
E Colpisce una sua statua perché... non parla!

Bici

Chiudi gli occhi e immagina: sei a Roma e stai facendo un giro in bici. Poi descrivi cosa hai visto, in almeno 50 parole.

Cibo

Trova nello schema 14 parole o espressioni legate alla cucina romana e leggi un proverbio.

P	O	C	A	R	B	O	N	A	R	A	L	L
O	P	I	Z	V	A	C	C	I	N	A	R	A
Z	A	C	A	L	D	A	R	R	O	S	T	E
T	R	A	T	T	O	R	I	A	E	P	A	P
G	R	A	T	T	A	C	H	E	C	C	A	I
N	I	S	I	T	R	I	P	P	A	M	A	N
N	G	C	A	C	I	O	E	P	E	P	E	S
I	U	O	V	A	A	F	N	O	C	O	N	A
L	G	U	A	N	C	I	A	L	E	E	M	A
Q	U	I	N	T	O	Q	U	A	R	T	O	N
I	P	E	C	O	R	I	N	O	S	U	G	O

Din Don Dan!

Segna se le affermazioni sono vere (V) o false (F).

	V	F
1 A Roma ci sono più di 350 campane per 200 chiese.	☐	☐
2 Secondo la tradizione, alcune campane "parlano".	☐	☐
3 Santa Maria sopra Minerva è costruita su tre templi antichi.	☐	☐
4 Per sposarti in Ara Coeli, devi salire la scalinata in ginocchio.	☐	☐
5 A Sant'Ignazio puoi vedere una cupola che... non c'è!	☐	☐
6 È difficile vedere i mosaici di Santa Prassede durante il tramonto.	☐	☐

Eventi

Collega ogni evento al luogo e alla data giusti.

Compleanno di Roma	Ippodromo delle Capannelle	1° maggio
Festival del Cinema	Piazza San Giovanni	Giugno-Luglio-Agosto
Concerto del Primo Maggio	In tutta la città	Ottobre
Festival "Rock in Roma"	Parco della Musica	21 aprile

Fontane

Completa le frasi.

1 Le fontane di Roma sono spesso .... bellissimi!

2 Se vuoi sposarti devi .... tre monete nella Fontana ....

3 L'acqua della Fontana di Trevi viene da un .... molto antico!

4 La Barcaccia ricorda una barca ferma davanti alla .... di Piazza di Spagna durante una .... del Tevere.

5 La .... dei Fiumi ha quattro .... che rappresentano quattro importanti fiumi.

6 Secondo la tradizione, la statua del Rio della Plata .... per non vedere la chiesa di Borromini.

7 I " nasoni" si chiamano così perché l'acqua esce da un .... che sembra un grosso ....

8 L'acqua dei "nasoni" è .... e molto fresca!

Grande Cinema

Sei un regista e vuoi fare un film a Roma! Scegli un luogo, una storia e i personaggi e poi scrivi la tua idea. Se sei in classe, confrontati con i compagni e, insieme, scegliete l'idea più originale.

Habemus papam

Rispondi alle domande.

1 Cosa significa quando esce fumo nero dal tetto della Cappella Sistina? E quando esce fumo bianco?
....

2 Perché diciamo che lo Stato del Vaticano è molto più antico dell'Italia?
....

3 Perché Giulio II sceglie quel luogo per far costruire la Basilica di San Pietro?
....

4 Come è fatto il colonnato del Bernini?
....

5 Cosa c'è sopra la tomba di San Pietro?
....

6 Cosa trovi nei Giardini Vaticani?
....

Itinerari nelle Ville

Scrivi le informazioni nel box vicino alla villa giusta.

è il cuore verde di Roma • ha una pista ciclabile lunghissima
• puoi vedere spettacoli di teatro • ha ispirato il giardino
di Versailles • c'è una ludoteca • ospita una famosa gara
di equitazione • è patrimonio UNESCO • ha un parco
acquatico • è il parco più grande di Roma

Villa Borghese ....

....

Villa Pamphili ....

....

Villa D'Este ....

....

Leggende e misteri

Completa le leggende con l'opzione giusta.

1 **Un giorno Orlando...**
   A ☐ va a vivere a Roma.
   B ☐ diventa una pietra magica.
   C ☐ colpisce una colonna con la sua spada.

2 **La bocca della verità...**
   A ☐ dice sempre la verità.
   B ☐ mangia la mano ai bugiardi.
   C ☐ nasconde un tesoro.

3 Un passaggio segreto...

A ☐ va dal Quirinale al Palazzo della Dataria.

B ☐ va dal Vaticano al Palazzo della Dataria.

C ☐ va dal Vaticano a Castel Sant'Angelo.

4 Un giorno il diavolo...

A ☐ tira una grande pietra a San Domenico.

B ☐ colpisce con la spada San Domenico.

C ☐ va in chiesa con una grande pietra nera.

Musica

Leggi le definizioni e completa lo schema.

1 "Caput" in dialetto romanesco.

2 Canzoni tradizionali romane.

3 Gli stornelli hanno versi in...

4 È sua la famosa musica di *Mission*.

5 La persona che scrive e canta le sue canzoni.

6 Ha scritto una canzone per la sua squadra di calcio.

7 Ci sono anche... di stornelli!

8 Lo ha costrutito Renzo Piano.

9 Gli stornelli si cantano per... qualcuno.

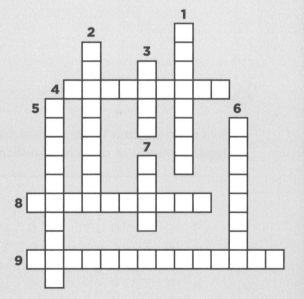

Notte ai Musei

Hai appena partecipato alla Notte dei Musei a Roma, e hai visitato uno dei musei descritti. Scrivi una breve mail ad un tuo amico e descrivi quello che hai visto, che ti è piaciuto, o che non ti è piaciuto.

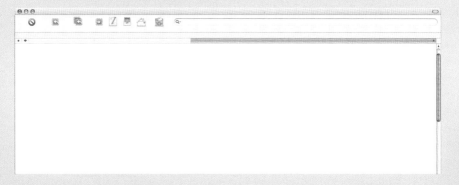

Oggetti e occasioni

Trova nello schema 17 parole o espressioni legate ai mercati e leggi un modo di dire che significa "costare poco".

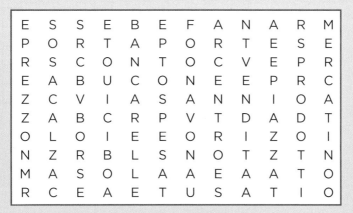

E	S	S	E	B	E	F	A	N	A	R	M
P	O	R	T	A	P	O	R	T	E	S	E
R	S	C	O	N	T	O	C	V	E	P	R
E	A	B	U	C	O	N	E	E	P	R	C
Z	C	V	I	A	S	A	N	N	I	O	A
Z	A	B	C	R	P	V	T	D	A	D	T
O	L	O	I	E	E	O	R	I	Z	O	I
N	Z	R	B	L	S	N	O	T	Z	T	N
M	A	S	O	L	A	A	E	A	A	T	O
R	C	E	A	E	T	U	S	A	T	I	O

Cibo

Segna se le seguenti frasi sono vere (V) o false (F).

		V	F
1	Piazza di Spagna prende il nome dalla vicina ambasciata spagnola.	☐	☐
2	Vicino c'è via Condotti.	☐	☐
3	Piazza del Campidoglio è famosa perché ci sono tanti artisti di strada.	☐	☐
4	Piazza del Campidoglio è stata progettata da Michelangelo.	☐	☐
5	A Piazza del Popolo c'è molta ombra in estate.	☐	☐
6	Qui c'è un obelisco egiziano.	☐	☐
7	Campo de' Fiori si chiama così perché è un mercato di frutta e verdura.	☐	☐
8	Di sera è un posto molto tranquillo.	☐	☐
9	Piazza Mincio ha palazzi di stili molto diversi.	☐	☐
10	Qui si trova il Palazzo delle Rane.	☐	☐

Quirinale e politica

Collega i Palazzi alle Istituzioni politiche.

1 ☐ Palazzo del Quirinale
2 ☐ Palazzaccio
3 ☐ Palazzo Chigi
4 ☐ Palazzo Madama
5 ☐ Palazzo di Montecitorio

A Senato della Repubblica
B Presidente della Repubblica
C Camera dei Deputati
D Corte di Cassazione
E Presidente del Consiglio e Governo

Resti e rovine

Completa le frasi.

1 All'inizio della sua storia, Roma è un piccolo
....

2 I palazzi dei Fori imperiali ospitavano grandi cerimonie
....

3 Il primo Foro è stato costruito da ....
nel 54 a.C.

4 Il nome originario del Colosseo è ....

5 Il nome Colosseo deriva da una ....
dell'imperatore Nerone.

6 Il Pantheon in origine è stato un tempio ....

7 Nel Pantheon il giorno di Pentecoste c'è la ....
....

8 Per alcuni studiosi il "lapis niger" è la ....

Sport

**Immagina di aver incontrato il famoso calciatore Francesco
Totti: ti ha raccontato come si vive la passione per il calcio
a Roma e la rivalità tra le due squadre. Racconta poi questa
esperienza in una mail ad un tuo amico.**

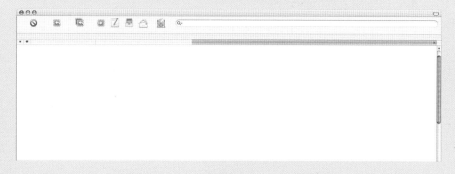

Trastevere

Leggi le definizioni e completa lo schema.

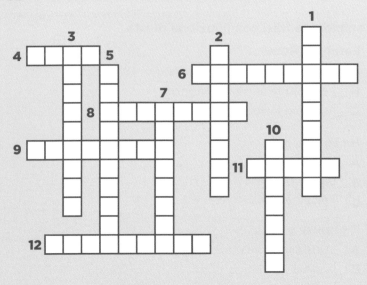

1 Trastevere è un... di Roma.

2 La... chiesa del Sacro Cuore è in stile neo-gotico.

3 A Trastevere c'è un... di piccole vie.

4 A Trastevere hanno girato molti...

5 Poesie attaccate alla statua di Paquino.

6 A Trastevere ci sono molte botteghe...

7 A Villa Lante ci sono... segreti.

8 Trilussa e Belli hanno descritto la pratica... dei romani.

9 A questo poeta hanno dedicato una statua.

10 La sera i... mangiano in trattoria.

11 A Trastevere puoi sentire il... del popolo romanesco.

12 Trastevere è un luogo... e colorito.

Attività dopo la lettura

Usi e costumi

Completa le frasi con l'opzione giusta.

1 Eataly di Roma...

A ☐ pieno di turisti americani.
B ☐ è il più grande del mondo.
C ☐ uguale a quello di New York.

2 Ha aperto nel...

A ☐ 2001
B ☐ 2011
C ☐ 2015

3 Il *segway* è

A ☐ una bici a motore.
B ☐ un bus turistico.
C ☐ un monopattino a motore

4 San Lorenzo è...

A ☐ un quartiere artistico.
B ☐ un quartiere universitario.
C ☐ un quartiere molto elegante.

5 A Ostia i romani...

A ☐ vanno al mare e a divertirsi.
B ☐ vanno a mangiare il gelato.
C ☐ vanno a riposarsi.

6 Ostia Antica è

A ☐ una spiaggia per persone anziane.
B ☐ un sito archeologico con il vecchio porto di Roma.
C ☐ un sito archeologico con la spiaggia.

Vie e Vicoli

In base a quello che hai letto, guarda le foto e descrivi le vie.

Via Condotti

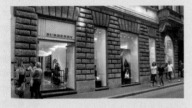

....

Via Veneto

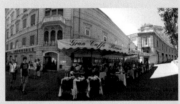

....

Via Nazionale

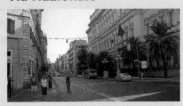

....

Via Margutta

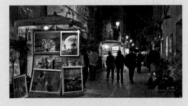

....

Zodiaco

Abbina la descrizione al posto giusto.

A Zodiaco   **B** Pincio   **C** Gianicolo   **D** Aventino

1 ☐ Valedier lo decora con statue, fontane, alberi e obelischi.
2 ☐ Ha vicino il Museo Astronomico.
3 ☐ Sta su una collina già amata dagli antichi romani.
4 ☐ Forse è il più bel panorama di Roma, e tutti, turisti, ragazzi e bambini, vanno a vederlo.
5 ☐ C'è una grande porta chiusa e dal buco della chiave vedi la Cupola di San Pietro.
6 ☐ Ogni giorno, a mezzogiorno, un colpo di cannone spara per segnalare l'ora esatta.

Letture Graduate Giovani

Livello 1
Giovanni Boccaccio, *Decameron – Novelle scelte*

Livello 2
Mary Flagan, *Il souvenir egizio*
Emilio Salgari, *Le Tigri di Mompracem*
G. Massei - A. Gentilucci, *Evviva Roma!*

Livello 3
Maureen Simpson, *Destinazione Karminia*

LETTURE GRADUATE GIOVANI ADULTI

Livello 2
Carlo Collodi, *Le avventure di Pinocchio*
Luigi Pirandello, *Novelle per un anno – Una scelta*
Anonimo, *I fioretti di San Francesco*

Livello 3
Giovanni Verga, *I Malavoglia*
Alessandro Manzoni, *I promessi sposi*

SILLABO DEI CONTENUTI MORFOSINTATTICI

Coniugazione attiva e riflessiva dei verbi regolari e dei più comuni verbi irregolari.
Indicativo presente; passato prossimo; infinito; imperativo; condizionale per i desideri.
Verbi ausiliari.
Verbi modali: *potere, volere, dovere*.
Pronomi personali (forme toniche e atone), riflessivi, relativi.
Aggettivi e pronomi possessivi, dimostrativi, interrogativi.
I più frequenti avverbi qualificativi, di tempo, di quantità, di luogo, di affermazione, di negazione.
Le frasi semplici: dichiarative, interrogative, esclamative, volitive con l'imperativo e il condizionale.
Le frasi complesse: coordinate copulative, avversative, dichiarative.
Subordinate esplicite: temporali, causali, dichiarative, relative.

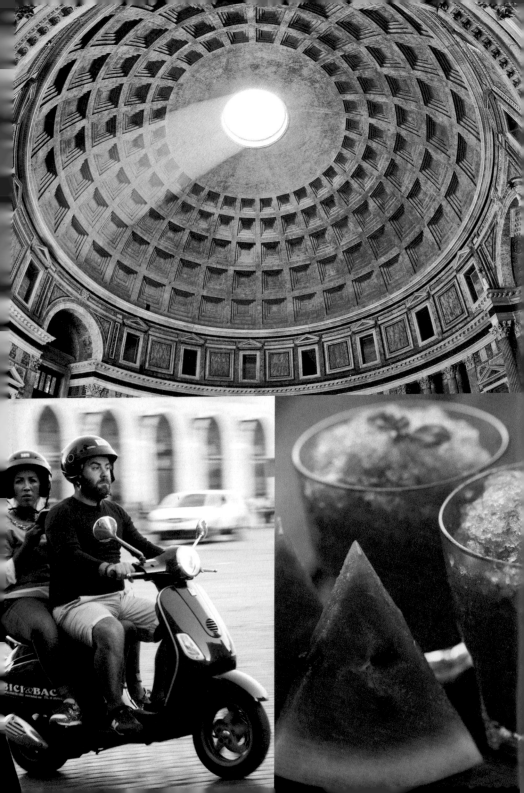